Revelando la

Un viaje de sanación, amor y autodescubrimiento

Autor : Rocjane

Ilustrador : Abdullah Munawar

Revelando las capas
Un viaje de sanación, amor y autodescubrimiento

Copyright 2024 Rocjane. reservados todos los derechos.
Publicado por Rocjane/Splashing Paws, LLC
ISBN : 9798869260420

Autor : Rocjane
Ilustrador : Abdullah Munawar

Dedicación

Para mi querido amigo Raymond: En el vasto tapiz de la vida, pocas relaciones dejan una huella indeleble en el viaje de uno. Tengo la suerte de contarte como una de esas almas raras y queridas, cuyo apoyo inquebrantable ha iluminado mi camino de la manera más profunda. Con gratitud de corazón y desbordante de emociones, te dedico este humilde trabajo. A través de los flujos y reflujos de la existencia, has seguido siendo un firme pilar de fuerza, sin dudar nunca en tu fe en mis habilidades. En el ámbito de las palabras y la imaginación, has sido mi luz guía, empujándome hacia adelante cuando la duda nubló mi resolución y inspirándome a alcanzar las estrellas cuando los sueños parecían esquivos. Tu presencia resuena más allá de los límites de la amistad, porque has sido tanto una confidente como una musa, encendiendo las brasas de la creatividad dentro de mí. Su agudo intelecto, su inquebrantable consejo y su incomparable empatía han infundido vida en mis palabras, dando sustancia y autenticidad a las narrativas que danzan en las páginas de este libro. Mientras la tinta fluye desde lo más profundo de mi alma, escribo estas palabras con profunda gratitud. Es un testimonio de su inquebrantable bondad, su inquebrantable fe en mí y su inquebrantable amistad. Qué bendecido soy de tenerte a mi lado, ofreciéndote consuelo en la adversidad y celebración en el triunfo. Con esta dedicatoria, grabo tu nombre en las páginas iniciales, eternamente agradecido por tu apoyo inquebrantable y por ser la verdadera encarnación de la amistad. Con suma admiración, Roc Jane

Érase una vez, en un pueblo pequeño y muy unido, vivía un joven llamado Tommy. Con sólo cinco años, ya había enfrentado desafíos que la mayoría de los adultos ni siquiera podían comprender.

Tommy era un niño transgénero, nacido en un cuerpo femenino pero que se identificaba y vivía como un niño. Era un niño brillante e imaginativo que a menudo encontraba consuelo en sus propios mundos ficticios. Sin embargo, ese día en particular, su realidad se había convertido en un duro campo de batalla.

Los alegres días de infancia de Tommy no habían durado mucho, porque su vida estaba teñida de tristeza y dolor. Su amada madre, Sarah, había estado luchando contra el cáncer desde que Tommy tenía uso de razón. Era una mujer fuerte y resistente que luchó con valentía, pero la enfermedad le había pasado factura. A pesar de innumerables rondas de quimioterapia y los tratamientos más avanzados disponibles, la enfermedad de Sarah había avanzado a una etapa en la que curarla parecía imposible.

A pesar del gran peso que pesaba sobre los jóvenes hombros de Tommy, él seguía decidido a alegrar a su madre en cualquier forma que pudiera. Le encantaba escuchar sus historias y su voz tranquilizaba su alma. Fue durante una de esas sesiones de narración que una idea surgió en la mente imaginativa de Tommy.

"Mamá, ¿crees que hay criaturas mágicas escondidas en nuestro pueblo?" preguntó, sus ojos brillando con curiosidad. Sarah, débil pero siempre solidaria, sonrió y asintió suavemente.

"Me gusta creer que sí, Tommy", susurró. "De hecho, una vez leí un libro sobre un bosque mágico lleno de criaturas místicas. ¿Quieres que te cuente más sobre esto?

Los ojos de Tommy se abrieron con emoción, pendiente de cada palabra de su madre. Mientras ella continuaba tejiendo historias de seres encantados y sus fantásticas aventuras, él no pudo evitar preguntarse si estas criaturas mágicas podrían traer una chispa de felicidad a sus vidas.

Impulsado por una nueva determinación, Tommy decidió embarcarse en una búsqueda para encontrar estas criaturas místicas y llevar su magia al lado de su madre. Los días se convirtieron en noches mientras buscaba incansablemente pistas en libros, rincones escondidos y su propia vívida imaginación. Pidió la ayuda de su mejor amiga, Lily, quien creía en los sueños de Tommy con tanta ferocidad como él.

Juntos, armados únicamente con su imaginación y una pizca de esperanza, Tommy y Lily emprenden una aventura extraordinaria a través de su unida ciudad. Cada callejón, cada árbol y cada patio de recreo se convirtieron en un tesoro de secretos esperando ser desvelados.

Mientras exploraban la ciudad, se encontraron con encantadoras hadas revoloteando entre los macizos de flores, susurrando secretos a los pétalos en flor.

Los traviesos duendes se reían traviesamente desde lo alto de las farolas, mientras que pequeños gnomos se asomaban detrás de los rosales. El corazón de Tommy se llenó de alegría al descubrir que las criaturas mágicas con las que había soñado eran reales.

Pero, como era de esperar, sus mágicos encuentros fueron sólo el comienzo de los desafíos que les esperaban. Los bulliciosos ciudadanos de la ciudad, consumidos por sus rutinas diarias, ignoraban la existencia de estos seres místicos. Depende de Tommy y Lily hacer que otros creyeran en la magia que residía en su ciudad.

Sin dejarse intimidar por las miradas escépticas y los susurros dudosos, el joven dúo se embarcó en una misión para revelar las maravillas que habían descubierto. Pintaron murales vibrantes en paredes desgastadas, decoraron árboles con plumas coloridas que habían caído de las alas de las hadas y dejaron pequeñas delicias para que las descubrieran los gnomos. Poco a poco, el pueblo empezó a despertar a la magia que siempre los había rodeado.

A medida que se corrió la voz de sus aventuras, tanto padres como niños quedaron cautivados por el encantamiento que se había escondido ante sus propios ojos. Y en medio del creciente entusiasmo, Tommy vio cómo el rostro de su madre se iluminaba con una nueva esperanza.

Aunque la batalla contra la enfermedad de Sarah estaba lejos de estar ganada, la magia aportada por la determinación inquebrantable de su hijo le levantó el ánimo y le devolvió el brillo a los ojos. Todos los días, Tommy y Lily corrían hacia la cama de Sarah, contando con entusiasmo sus encuentros con las criaturas mágicas, permitiéndole embarcarse en sus aventuras a través de sus vívidas descripciones.

Y en esos momentos, el amor y la imaginación compartidos entre Tommy, Lily y Sarah crearon un vínculo que trascendió el dolor y la tristeza. Juntos, encontraron consuelo en la magia que residía tanto en el mundo que los rodeaba como en lo profundo de sus corazones, recordándoles que incluso en medio de las batallas más duras de la vida, el amor y la imaginación podían crear infinitas posibilidades.

El padre de Tommy, James, había hecho todo lo posible para proteger a su hijo de la dura realidad del rápido deterioro de la salud de Sarah, pero los niños tienen una intuición natural que trasciende incluso los intentos de los padres más devotos por protegerlos. Tommy podía sentir el sufrimiento de su madre, su fuerza menguante, y eso hizo que le doliera el pequeño corazón.

Una mañana sombría, mientras las nubes se cernían pesadamente sobre la ciudad, James sentó a Tommy para decirle la verdad. Las lágrimas brotaron de los ojos de ambos mientras explicaba la inminente pérdida de su amada Sarah, a quien solo le quedaban unos días de vida. Mientras luchaba por encontrar las palabras adecuadas, James consoló a Tommy y le aseguró que el espíritu de Sarah siempre estaría con ellos, cuidándolos. Hizo hincapié en lo importante que era para Tommy despedirse.

A medida que el peso de la noticia se apoderó de ellos, James buscó formas de ayudar a Tommy a afrontar su inminente pérdida. Creó un espacio para que Tommy expresara abiertamente sus emociones, animándolo a compartir sus pensamientos y sentimientos. Pasaron horas recordando a Sarah, riendo y llorando mientras miraban fotografías antiguas y compartían historias.

James también le presentó a Tommy la idea de crear juntos una caja de recuerdos. Seleccionaron cuidadosamente artículos significativos que les recordaran a Sarah y los colocaron en una caja bellamente decorada. Tommy encontró consuelo al tener esta representación física del amor y la presencia de su madre, ya que sabía que siempre tendría algo a qué aferrarse.

Al reconocer el poder terapéutico de las salidas creativas, James animó a Tommy a expresar sus emociones a través del dibujo y la escritura. Desde coloridos dibujos hasta sentidas cartas dirigidas a Sarah, Tommy encontró consuelo al expresar sus sentimientos en papel. James escuchó atentamente las palabras de Tommy, validando sus emociones y permitiéndole procesar su dolor a su manera única.

A medida que la salud de Sarah seguía empeorando, James pidió apoyo a su comunidad. Descubrió una organización local que proporcionaba recursos para niños en duelo. Tommy asistió a sesiones grupales con otros niños que habían experimentado una pérdida, donde compartieron sus historias y aprendieron mecanismos saludables para afrontar la pérdida. Estas conexiones aliviaron la soledad de Tommy y le recordaron que no estaba solo en su viaje de duelo.

Con tiempo, paciencia y una red de apoyo a su alrededor, James y Tommy encontraron maneras de recorrer juntos el doloroso camino de la pérdida, honrando la memoria de Sarah y al mismo tiempo encontrando consuelo en el amor que los uniría para siempre.

Recuerde, el duelo es una experiencia profundamente personal y compleja, pero encontrar salidas saludables, buscar apoyo y apreciar los recuerdos de los seres queridos puede ayudarnos a encontrar la fuerza para seguir adelante.

Al día siguiente, mientras el sol arrojaba un tímido rayo de luz por la ventana, Tommy entró en la habitación de su madre. Sus ojos azules, que alguna vez fueron vivaces, ahora parecían débiles y distantes mientras el cáncer reclamaba su vitalidad. Tommy se sentó tímidamente en el borde de su cama, sosteniendo su frágil mano en su pequeño apretón. "Mami", susurró suavemente, tratando de encontrar la fuerza para decir adiós.

Sarah, una madre amorosa y perspicaz, sintió el peso de las emociones de su hijo. Ella le pasó los dedos por el pelo y suavemente lo acercó más. "Oh, mi dulce Tommy", murmuró, su voz llena de amor y tristeza. "Quiero que recuerdes cuánto te amo, siempre. No importa dónde esté, mi amor por ti nunca se desvanecerá".

Tommy le apretó la mano con fuerza, buscando palabras que se negaban a salir. Sintió una mezcla de miedo, tristeza e ira, incapaz de comprender por qué la vida podía ser tan cruel. A través de sus lágrimas, finalmente logró pronunciar las palabras: "Te amo, mami".

Los ojos de Sarah se iluminaron con el parpadeo de una llama que se desvanecía mientras una débil sonrisa cruzaba su rostro. "Mi pequeño valiente", susurró. "Recuerda que eres amado por lo que eres y sé siempre fiel a ti mismo. Vas a hacer cosas increíbles, Tommy, lo sé".

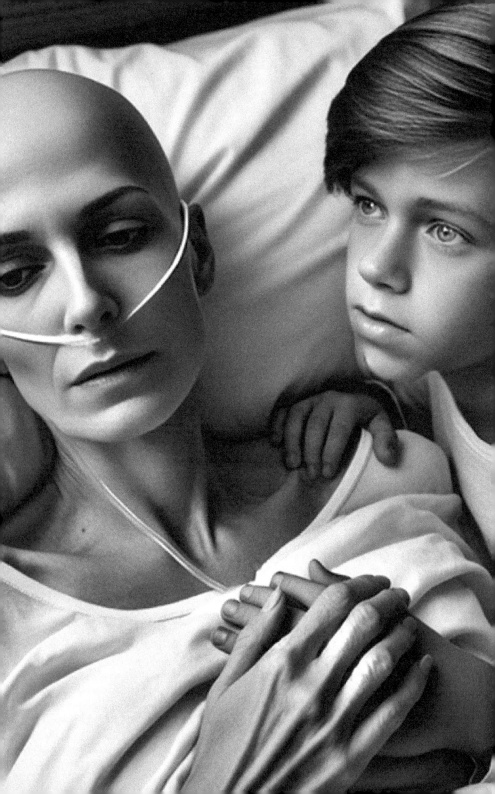

A medida que caía la noche, la respiración de Sarah se hizo más lenta y Tommy supo que su tiempo con ella era corto. Reunió todo su coraje, luchando contra las emociones agitadas, y susurró su amoroso adiós. "Adiós, mami. Gracias por ser la mejor mamá del mundo".

Su voz flotaba pesada en el aire mientras de mala gana le soltaba la mano. Los ojos de Sarah se cerraron suavemente, señalando su último adiós. Tommy sintió una mezcla de alivio y desesperación al saber que había cumplido los deseos de su madre, pero también al comprender que el dolor de perderla nunca desaparecería por completo.

En los días siguientes, la ciudad se reunió para honrar la vida de Sarah, dejando a Tommy sintiéndose a la vez abrumado por su apoyo y extrañamente perdido en su dolor. Mientras estaba sentado en medio del mar de personas vestidas con colores sombríos, Tommy no pudo evitar sentir una punzada de soledad. Entonces recordó la caja de recuerdos que él y su padre habían creado. En un momento de tranquilidad, lo sacó de su habitación y lo abrió con cuidado.

En el interior, una avalancha de recuerdos preciados se encontraron con los ojos de Tommy: las fotografías de sus vacaciones familiares, una concha de sus viajes a la playa, una pequeña chuchería que Sarah le había regalado en su quinto cumpleaños. Mientras Tommy sostenía cada objeto, los recuerdos de su madre lo invadieron, como pequeños fragmentos de su espíritu que salían del interior de la caja.

La muerte de Sarah conmocionó el mundo de Tommy, dejándolo aturdido por una profunda sensación de pérdida e incredulidad. Al principio, le costó procesar la noticia, su mente se negaba a aceptar la realidad de su ausencia. La negación lo envolvió como una niebla asfixiante, como si en cualquier momento fuera a despertar de este terrible sueño.

Una tristeza abrumadora consumió a Tommy, amenazando con ahogarlo en sus profundidades. Oleadas de dolor lo invadieron y resonaron dentro de su pecho mientras intentaba darle sentido al vacío dejado por la partida de Sarah. El peso de sus emociones se sentía insoportable, abrumándolo y dejándolo perdido y a la deriva.

Ante tal angustia, Tommy encontró consuelo al retirarse del mundo. Era como si necesitara silencio y soledad para llorar en privado. Se convirtió en un observador en lugar de un participante, retirándose en sus propios pensamientos y excluyendo a los demás.

Se aferró a recuerdos y recuerdos que le recordaban sus momentos compartidos, buscando una frágil conexión con el pasado. Encontró consuelo en la familiaridad de sus rutinas, repitiendo conversaciones y reviviendo risas que nunca más se volverían a escuchar.

En este período de abstinencia, Tommy necesitaba espacio y tiempo para aceptar su inmensa pérdida.

Después de la muerte de Sarah, el vínculo que alguna vez fue sólido entre Tommy y su padre comenzó a mostrar grietas bajo el peso de su dolor compartido. Ambos perdidos en su propio dolor, sus intentos de comunicación fallaron, dejándolos varados en un mar de palabras no dichas y emociones no resueltas.

Al padre de Tommy, lidiando con su propio dolor, le resultó difícil expresar sus emociones abiertamente. Su dolor se manifestó como una retirada silenciosa, provocando un creciente abismo entre ellos. Cada interacción se sintió tensa, sin la tranquilidad y calidez que alguna vez definieron su relación. Se convirtieron en barcos que pasaban en la noche, y su tristeza mutua los separaba en lugar de acercarlos.

La falta de comunicación efectiva se convirtió en una barrera que distanciaba aún más a Tommy y su padre. Los intentos de hablar de sus sentimientos a menudo terminaban en frustración o malentendidos. Silencios dolorosos llenaron el aire, puntuados por momentos de desacuerdo explosivo nacidos de su dolor compartido y su incapacidad de brindarse consuelo mutuo.

En medio de esta dinámica tensa, surgieron figuras de apoyo en la vida de Tommy, como faros de esperanza. Quizás un maestro compasivo se dio cuenta de sus luchas y le ofreció una presencia reconfortante, un oído atento o palabras de sabiduría. O tal vez un vecino sabio le brindó un espacio seguro en el que Tommy podía confiar, ofreciéndole orientación y aliento durante este momento difícil.

Estas figuras de apoyo se convirtieron en pilares de fortaleza para Tommy, llenando parte del vacío dejado por su tensa relación con su padre. Ofrecieron orientación sobre cómo afrontar el dolor y encontrar formas de sanar, al mismo tiempo que fomentaron la comunicación abierta y la empatía.

Con su ayuda, Tommy encontró consuelo y comprensión, mientras aprendía a expresar sus emociones y encontrar su voz. Su presencia le recordó que incluso en medio de la confusión, había personas que se preocupaban, personas que podían guiarlo hacia un camino de curación y mejor comunicación.

Mientras navegaba por esta oscuridad, podría encontrar un rayo de esperanza que le ayudaría a resurgir, más fuerte y más decidido a honrar la memoria de Sarah.

Mientras Tommy y su padre recorrían sus caminos individuales de dolor, hubo momentos de perdón y comprensión que ayudaron a reparar su tensa relación.

Uno de esos momentos ocurrió una tarde lluviosa de domingo. El padre de Tommy, al reflexionar sobre su propio dolor, se dio cuenta de los muros que había estado construyendo entre él y su hijo. Reconoció que su dolor mutuo había creado una división, pero realmente anhelaba la conexión y la reconciliación.

En un gesto sincero, se sinceró con Tommy sobre sus dificultades para expresar emociones y el miedo de haber fracasado como padre. Las lágrimas corrían por sus rostros mientras compartían sus vulnerabilidades, dejando al descubierto el dolor profundamente arraigado y el anhelo de conexión que los había atormentado silenciosamente.

Este acto de vulnerabilidad se convirtió en un punto de inflexión en su relación. Tommy, al ver el genuino remordimiento de su padre, encontró en su corazón el deseo de perdonarlo. Entendió que el dolor los había afectado a ambos de diferentes maneras, provocando que sin querer se lastimaran mutuamente. Con el perdón llegó un renovado sentido de compasión y empatía.

A partir de ese día, Tommy y su padre trabajaron activamente en su comunicación. Hicieron un esfuerzo consciente por estar presentes el uno para el otro, creando espacios para conversaciones abiertas y honestas sobre su dolor. Compartieron recuerdos de Sarah, riéndose entre lágrimas. Se apoyaron mutuamente en los momentos en que el dolor se volvió abrumador.

A través de estas experiencias compartidas y conversaciones auténticas, floreció el entendimiento entre Tommy y su padre. Se dieron cuenta de que no estaban solos en su dolor y que el amor mutuo era una fuerza poderosa que podía capear cualquier tormenta. Su viaje hacia la curación se entrelazó, fortaleciendo su vínculo cada día que pasaba.

Estos momentos de perdón y comprensión fueron como parches en una delicada colcha, cuidadosamente cosidos con amor y vulnerabilidad. Sirvieron como recordatorios de que incluso frente a un dolor inmenso, la gracia y la comprensión tienen el poder de reparar incluso las relaciones más fracturadas.

Inspirado por las palabras de su madre y la conexión que sintió a través de la caja de recuerdos, Tommy se embarcó en un viaje para honrar la memoria de Sarah y encontrar consuelo en la creatividad. Comenzó a dibujar, decidido a capturar la belleza que había visto en el mundo a través de sus ojos. Líneas, colores y formas se entrelazaron en el papel, creando escenas vibrantes que reflejaban el amor y la inspiración que había recibido de su madre.

La obra de arte de Tommy no solo capturó la belleza externa; se convirtió en un reflejo de sus propias emociones y crecimiento. Sus dibujos mostraban una resiliencia y fuerza que irradiaban desde dentro, contando historias de amor, pérdida y coraje para seguir adelante, incluso frente a la oscuridad.

Pronto, la noticia del talento de Tommy se extendió por toda la ciudad. La gente quedó cautivada por su capacidad para expresar emociones a través del arte, y sus dibujos llegaron a galerías y exposiciones. A través de sus creaciones, Tommy encontró no sólo una manera de sanar su propio corazón sino también una manera de tocar las vidas de los demás. Aunque el dolor aún persistía, descubrió un sentido de propósito y una manera de mantener vivo el espíritu de su madre a través del poder del arte.

Recuerde, la creatividad puede ser una fuerza poderosa para la curación y la autoexpresión en momentos de duelo. Ya sea a través del dibujo, la escritura, la música o cualquier otra forma de expresión artística, nos permite liberar emociones, encontrar consuelo y conectar con los demás. El viaje de Tommy nos muestra que incluso frente al dolor, se puede encontrar la belleza y la luz puede surgir de los momentos más oscuros.

Pasaron los meses y la vida avanzaba silenciosamente, pero Tommy llevaba los recuerdos de su madre cerca de su corazón. Con el paso de los años, el pequeño se convirtió en un joven resiliente, recordando siempre las palabras de aceptación y amor de su madre.

De hecho, Tommy es afortunado de haber tenido una madre tan amorosa y comprensiva que lo aceptó y abrazó tal como realmente era. Su apoyo inquebrantable sentó una base sólida para el viaje de Tommy. A medida que Tommy crecía y enfrentaba los desafíos de los prejuicios sociales y las dudas sobre sí mismo, sacó fuerzas de la aceptación de su madre.

Durante el sexto período, el corazón de Tommy dio un vuelco cuando descubrió un libro viejo y polvoriento escondido en un rincón de la biblioteca. Hojeando las páginas, con los dedos temblando de anticipación, absorbió cada palabra, el peso de su significado se hundió profundamente en su alma. Cada frase actuó como un trampolín que lo guió hacia una nueva comprensión de su propia identidad.

Los días se convirtieron en semanas y, a medida que Tommy se aventuraba más en su viaje de autodescubrimiento, se encontró con una tormenta de desafíos.

Mientras Tommy se embarcaba en su viaje de autoexploración, un torbellino de emociones lo envolvió. El miedo, la confusión y un nuevo sentido de propósito danzaban dentro de su corazón y su mente, tejiendo un complejo tapiz de emociones que exigían su atención.

Al principio, el miedo envolvió a Tommy como un sudario asfixiante. Susurró dudas e inseguridades, cuestionando qué significaba explorar su identidad de género. Lo desconocido se alzaba enorme e intimidante, dejándolo preocupado por el camino que tenía por delante. El miedo al rechazo, el miedo al juicio y el miedo a lo desconocido se entrelazaron, amenazando con impedirle abrazar su verdadero yo.

En medio del miedo, la confusión tejió su intrincado patrón. Las preguntas cayeron en cascada por la mente de Tommy como una lluvia torrencial: ¿Quién soy yo? ¿Qué significa ser transgénero? ¿Cómo afectará esto a mis relaciones y mi lugar en el mundo? La incertidumbre se convirtió en una compañera constante, desdibujando las líneas entre lo que creía saber y los territorios inexplorados en los que se aventuraba.

Pero en las profundidades del miedo y la confusión, Tommy descubrió un nuevo sentido de propósito: una llama parpadeante que se negaba a apagarse. Los momentos introspectivos revelaron destellos de la verdad, provocando epifanías que resonaron en su interior. Devoró libros y se sumergió en películas e historias que exploraban diversas experiencias de identidad de género, encontrando consuelo e inspiración en las experiencias de otras personas que habían recorrido caminos similares.

Inicialmente, el mejor amigo de Tommy, Alex, rechazó la identidad de Tommy. Cuando Tommy le confió por primera vez a Alex que era transgénero, la reacción de Alex fue de confusión e incredulidad. La noticia pareció romper los cimientos de su amistad, dejando a Alex lidiando con una mezcla de miedo, prejuicios y falta de comprensión.

Durante un tiempo, su amistad se volvió tensa mientras Alex luchaba por aceptar y comprender la identidad de Tommy. Hubo momentos de incomodidad y silencio tenso, ya que a Alex le resultó difícil identificarse con las experiencias de Tommy y los desafíos que enfrentó. Las nociones preconcebidas y los conceptos erróneos de la sociedad nublaron la perspectiva de Alex, impidiéndole aceptar plenamente la verdad de su amigo.

Sin embargo, a medida que pasó el tiempo, la brecha entre ellos comenzó a sanar lentamente. La semilla de la empatía se plantó cuando Alex se topó con un documental sobre personas transgénero y sus luchas. Vio historias de resiliencia y valentía, siendo testigo del dolor y la fuerza que el propio Tommy debió haber experimentado. De repente, el muro de los malentendidos comenzó a desmoronarse, reemplazado por una nueva curiosidad y voluntad de aprender.

Buscando cerrar la brecha, Alex se acercó a Tommy y le expresó su deseo de comprender más sobre su viaje. Sus conversaciones se volvieron profundas y sinceras, alimentadas por preguntas genuinas y un deseo genuino de conocimiento. Tommy compartió pacientemente sus experiencias, educando a Alex sobre las identidades transgénero y los desafíos que enfrenta la comunidad.

Con el tiempo, los muros que Alex erigió inicialmente comenzaron a caer, reemplazados por una creciente empatía y comprensión. Descubrió el poder de quitarse sus propios zapatos y sumergirse voluntariamente en la realidad de Tommy. Al hacerlo, Alex desarrolló no sólo un aprecio más profundo por el coraje de su amigo, sino también una perspectiva más amplia sobre el amplio espectro de experiencias humanas.

El crecimiento y el cambio son posibles, incluso frente al rechazo inicial. Demuestra que con educación, empatía y apertura de mente, las personas pueden evolucionar, permitiendo que la compasión y la comprensión prosperen donde antes reinaba la ignorancia.

Lily, la amiga de la infancia de Tommy, jugó un papel importante en su viaje de autodescubrimiento y crecimiento. Después de volver a conectarse con Lily, se convirtieron en importantes pilares de apoyo mutuo, compartiendo sus experiencias y afrontando juntos los desafíos de la vida.

A medida que su vínculo se profundizó, Lily también descubrió su propio camino de autoaceptación y crecimiento personal. Inspirada por el coraje de Tommy, se embarcó en su propio viaje para comprender y aceptar su identidad, y finalmente se declaró queer.

A lo largo de sus respectivos viajes, Tommy y Lily continuaron apoyándose mutuamente, compartiendo triunfos, reveses y las lecciones que aprendieron a lo largo del camino. Fueron faros de fortaleza y aceptación mutua, brindándose apoyo y comprensión inquebrantables.

En los años siguientes, Lily y Tommy mantuvieron una estrecha amistad mientras continuaban explorando y aceptando su verdadero yo. Siguieron siendo aliados y defensores de la igualdad y la aceptación, y estuvieron uno al lado del otro en la lucha contra la discriminación y los prejuicios.

Surgieron diversos modelos a seguir que guiaron a Tommy a través del laberinto del autodescubrimiento. Se convirtieron en faros de fuerza, ejemplificando las innumerables posibilidades que le esperaban. Sus historias y su resiliencia despertaron algo profundo en él, encendiendo un fuego de aceptación, amor propio y autenticidad.

Con cada revelación, el miedo se transformó lentamente en coraje, la confusión se convirtió en claridad y el propósito floreció en el corazón de Tommy. Fortalecido por el conocimiento que adquirió y apoyado por las experiencias de otros, comenzó a abrazar su verdadero yo: la persona en la que estaba destinado a convertirse.

El viaje de autoexpresión de Tommy no estuvo exento de obstáculos y encuentros con la discriminación.

En la escuela, se enfrentó a compañeros que no entendían o no aceptaban su identidad. En los pasillos, los susurros y las miradas de reojo lo seguían mientras navegaba por el laberinto de la escuela secundaria, sintiéndose como un extraño. Algunos compañeros hicieron comentarios hirientes, cuestionando su identidad de género o usando insultos despectivos. Los pasillos resonaban con insultos despectivos, destinados a derribar su espíritu. Pero Tommy se mantuvo decidido, como un faro de resiliencia en medio de la tormenta. Los latidos de su corazón latían con fuerza en sus oídos mientras enfrentaba cada insulto de frente, negándose a permitir que la ignorancia lo definiera. Estos momentos minaron la confianza de Tommy y lo dejaron sintiéndose aislado.

El acoso escolar se convirtió en un desafío recurrente para Tommy. Soportó burlas e insultos, y sus compañeros intentaron socavar su identidad. Su objetivo era sembrar dudas, hacerle cuestionar su sentido de sí mismo. A veces, incluso difundían rumores o chismes, intentando manchar su reputación. Estos actos de crueldad pusieron a prueba la capacidad de recuperación de Tommy, pero se negó a permitir que lo definieran.

En las aulas, las discusiones sobre género o sexualidad a menudo traían malestar, ignorancia e insensibilidad. Tommy se encontró constantemente educando a otros, explicando pacientemente la complejidad de las experiencias transgénero, desmantelando estereotipos y desafiando ideas preconcebidas. Estos momentos de defensa eran agotadores y a veces lo dejaban sintiéndose frustrado y no escuchado.

Mientras enfrentaba estos obstáculos, Tommy también encontró aliados inesperados. Algunos compañeros de clase, al ver su fuerza y autenticidad, se pusieron a su lado, ofreciéndole apoyo y oponiéndose a la discriminación que enfrentaba. Se convirtieron en un pilar de fortaleza para Tommy, recordándole que no estaba solo en su viaje.

A pesar de todo, Tommy demostró su resiliencia, enfrentando la adversidad con valentía y gracia. Sus encuentros con quienes no lo entendían ni lo aceptaban fueron peldaños en su camino hacia la creación de una sociedad más inclusiva. Cada obstáculo brindó una oportunidad de crecimiento y generó conciencia sobre la importancia de la empatía y la aceptación.

En medio del turbulento mar de adversidad, Tommy encontró consuelo en la compañía de su muy unido grupo de amigos. Su aceptación irradió como un cálido abrazo, reforzando su ánimo. Compartieron momentos de risa y alegría, fortaleciendo su vínculo a través de conversaciones susurradas llenas de comprensión y amor.

Lily, empoderada por su propio viaje personal, también se convirtió en una fuente de inspiración para otros, remodelando percepciones y desafiando normas sociales. Usó su voz y sus experiencias para promover la comprensión y fomentar una comunidad más inclusiva, creando espacios donde personas de todos los orígenes e identidades pudieran prosperar.

Aunque sus vidas han tomado caminos diferentes, el vínculo entre Tommy y Lily sigue siendo inquebrantable. Continúan apoyándose y animándose mutuamente, celebrando las victorias de cada uno y ofreciendo apoyo inquebrantable en tiempos de adversidad.

Su amistad sirve como testimonio del poder de la aceptación, el crecimiento y la búsqueda de fortaleza en la verdadera identidad de uno. Unidos por el amor, la resiliencia y un compromiso compartido de hacer del mundo un lugar mejor, Tommy y Lily siguen siendo aliados y amigos para toda la vida, unidos para siempre a través de sus viajes transformadores.

Impulsado por su nueva confianza, Tommy se presentó ante su comunidad escolar con voz firme. Cada palabra que decía parecía encender una chispa de cambio, provocando que ondas de conciencia se extendieran por la habitación. Los aplausos que siguieron resonaron en sus oídos, una resonante sinfonía de apoyo y validación.

El viaje de Tommy no se trató solo de su crecimiento personal sino también de fomentar la empatía y la comprensión. Uno por uno, participó en conversaciones esclarecedoras con compañeros de clase, profesores y personal, derribando barreras y construyendo puentes.

Tommy finalmente se convirtió en un defensor de los derechos de las personas transgénero y ofreció apoyo y orientación a otras personas que enfrentaban desafíos similares. Canalizó su dolor creando espacios donde las personas, como él, pudieran sentirse escuchadas.

En su trabajo de defensa de los derechos de las personas transgénero, Tommy enfrentó una variedad de desafíos. Encontró resistencia por parte de personas que no entendieron ni aceptaron las identidades transgénero. Sin embargo, abordó estos desafíos con resiliencia y determinación, buscando educar y fomentar la comprensión a través de la empatía y el diálogo.

Tommy creó espacios de aceptación y apoyo organizando grupos de apoyo y eventos comunitarios locales, donde las personas transgénero y sus aliados podían reunirse, compartir sus experiencias y encontrar consuelo en un ambiente seguro e inclusivo. También trabajó en estrecha colaboración con escuelas, organizaciones y formuladores de políticas para promover la inclusión de las personas transgénero, abogando por la implementación de políticas y recursos que respetaran y protegieran los derechos de las personas transgénero.

A través de sus esfuerzos de promoción, Tommy pretendía derribar barreras, desafiar conceptos erróneos y crear una sociedad más inclusiva para todas las personas transgénero.

Los esfuerzos de defensa de Tommy fueron como un faro de luz que atravesó la oscuridad de la discriminación y la ignorancia. Con cada paso que daba, pretendía derribar las barreras que impedían que las personas transgénero vivieran auténticamente y libres de juicios.

Gracias a su incansable determinación, Tommy desafió los conceptos erróneos iniciando diálogos abiertos y honestos. Participó en conversaciones con compañeros de clase, profesores y personal de la escuela, respondiendo pacientemente a sus preguntas y compartiendo sus experiencias personales. Al humanizar su propio viaje, Tommy disipó mitos y arrojó luz sobre las realidades de ser transgénero, derribando suavemente los muros de la ignorancia.

El enfoque de Tommy en materia de defensa no fue de confrontación; en cambio, se centró en fomentar la empatía y la comprensión. Organizó talleres y campañas de concientización, invitando a oradores invitados de la comunidad transgénero a compartir sus historias. Con cada evento, su objetivo era crear un espacio seguro para la discusión y el crecimiento, invitando a otros a caminar en los zapatos de personas transgénero, aunque solo fuera por un momento.

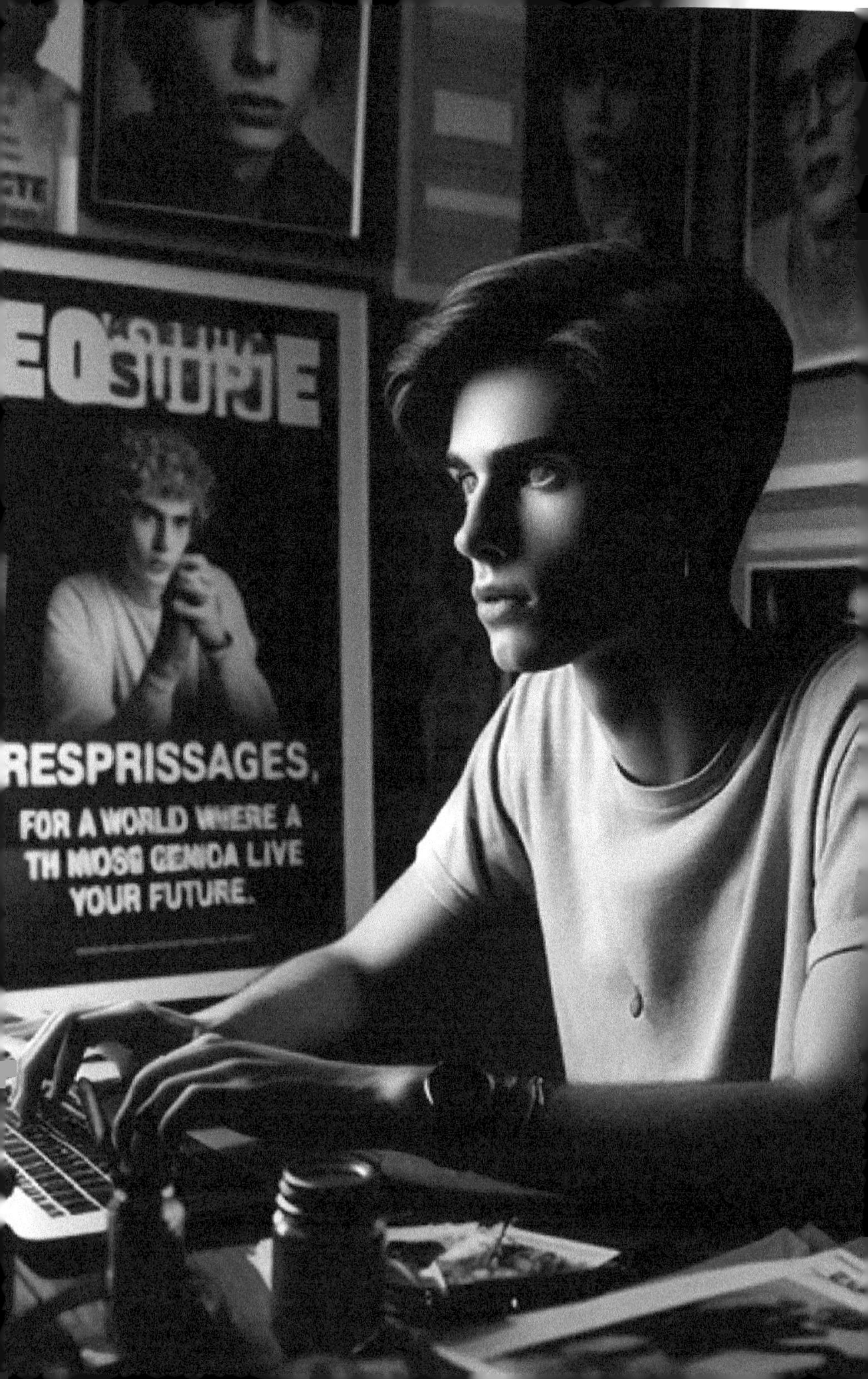

Con cada interacción, Tommy estaba plantando semillas de cambio, regándolas con compasión y paciencia. Sabía que crear una sociedad más inclusiva requería una acción colectiva y animó a otros a unirse a él en el viaje.

Al final, los esfuerzos de defensa de Tommy no solo estaban dirigidos a beneficiarse a sí mismo, sino a crear un mundo donde todas las personas transgénero pudieran vivir auténticamente, sin temor a ser juzgadas o discriminadas. Cada pequeña victoria que logró allanó el camino hacia un futuro más brillante y comprensivo.

Su viaje es un testimonio del poder del amor, la aceptación y el impacto transformador de la defensa de una persona.

En los momentos más oscuros, cuando las nubes de tormenta se cernían sobre su cabeza, encontraba consuelo en el espíritu inquebrantable de su madre. El legado de Sarah vivió dentro de él, manifestándose como fuerza y determinación.

Aunque llevaba consigo la pérdida de su madre todos los días, Tommy encontró consuelo al saber que realmente se había despedido, que la había honrado de una manera que nunca creyó posible. Y mientras continuaba su camino, abrazó la esencia del amor inquebrantable de Sarah, convirtiendo sus recuerdos en un faro de luz que lo guió hacia adelante.

El viaje personal de autodescubrimiento y crecimiento de Tommy ha sido verdaderamente transformador. Mientras navegaba por los desafíos de aceptar y abrazar su identidad como individuo transgénero, no sólo encontró el coraje para ser fiel a sí mismo, sino que también aprendió valiosas lecciones que luego compartiría en un poderoso foro público.

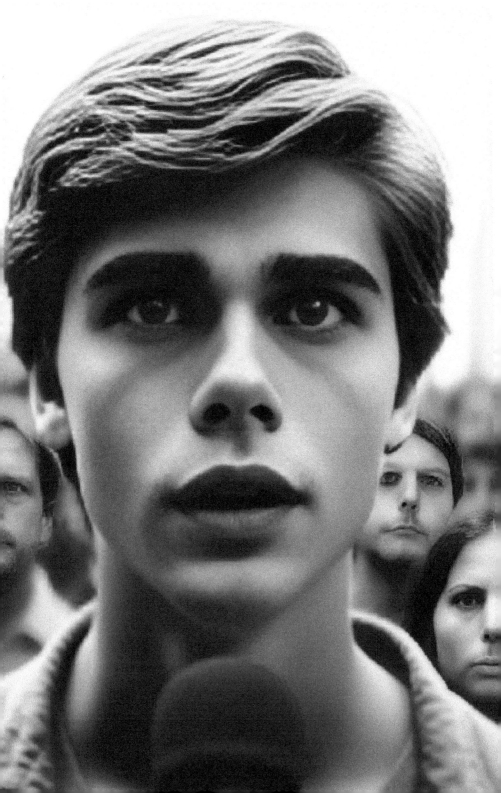

De pie ante una multitud de personas de todos los ámbitos de la vida, Tommy compartió su historia con cruda vulnerabilidad y autenticidad. Habló sobre las dudas, los miedos y el viaje hacia la autoaceptación que experimentó. A través de sus palabras, despertó esperanza e inspiró a otros a abrazar sus propias identidades con orgullo.

El mensaje de Tommy fue claro: la individualidad no es algo que deba temer sino celebrarse. Animó a todos a mirar dentro de sí mismos, a aceptar sus cualidades únicas y a rechazar las presiones sociales que intentan encasillar a las personas en definiciones estrechas de normalidad.

Al reconocer el profundo impacto de la aceptación y el amor, Tommy instó a la audiencia a abrir sus corazones a aquellos que podrían ser diferentes a ellos. Destacó la importancia de defender la igualdad y la aceptación, no simplemente como aliados, sino como participantes activos en la lucha contra la discriminación y los prejuicios.

Tommy dejó a la audiencia con un sentido mensaje de empoderamiento. Les recordó que cada persona tiene el poder de marcar la diferencia y que comienza con abrazar su propia identidad y extender la misma aceptación y comprensión a los demás.

Con su historia, Tommy se convirtió en un agente de cambio, inspirando a las personas a recorrer sus propios caminos con integridad y a fomentar una sociedad donde prevalezcan la aceptación y el amor. Su viaje nos anima a todos a encontrar el coraje para ser nosotros mismos y crear un mundo donde se celebre la diversidad y la igualdad sea la norma.

El viaje de Tommy sirve como un testimonio inspirador del poder del amor y el espíritu indomable dentro de cada uno de nosotros. A pesar de los desafíos que enfrentó como individuo transgénero, Tommy nunca se dejó definir ni limitar por las expectativas sociales. En cambio, abrazó su verdadera identidad y encontró consuelo en el amor y la aceptación inquebrantables que recibió de su madre.

A través de sus experiencias, Tommy demostró que el amor tiene el poder de trascender barreras e impulsar el cambio. Transformó su dolor y sus desafíos en combustible para la defensa, dedicando su vida a luchar por los derechos y la aceptación de las personas transgénero. La resiliencia y determinación de Tommy se convirtieron en un rayo de esperanza para otros que enfrentaban luchas similares, animándolos a mantenerse firmes en su propia verdad y buscar apoyo en sus comunidades.

En última instancia, el viaje de Tommy nos recuerda que dentro de cada uno de nosotros reside una extraordinaria capacidad de amor, aceptación y resiliencia. Es un recordatorio de que tenemos el poder de generar cambios, desafiar las normas sociales y forjar un mundo más inclusivo y compasivo. La historia de Tommy es una inspiración para apreciar el poder del amor, abrazar nuestro yo auténtico y animar a los demás en sus propios viajes de autodescubrimiento y aceptación.

BIOGRAFÍA DEL AUTOR

Roc Jane: Celebrando las gemas invisibles de la vida Roc Jane, una perspicaz creadora de palabras y una apasionada observadora de los intrincados momentos de la vida, proviene de un pequeño y pintoresco pueblo ubicado en las encantadoras colinas de la narración de historias. Cuando era niña, Roc Jane desarrolló una curiosidad insaciable y encontraba consuelo e inspiración en las páginas de los libros que devoraba. Fue durante sus años de formación cuando buscó refugio en el mundo de las palabras, abrazando el poder de la imaginación y la empatía. Con una capacidad innata para descubrir la belleza de las experiencias cotidianas, los escritos de Roc Jane cautivan a los lectores y los transportan a un reino donde dominan las emociones. Sus palabras dan vida a las situaciones más ordinarias, revelando las extraordinarias historias que susurran bajo la superficie de nuestra existencia. Guiado por una pasión por capturar la autenticidad y la intersección de realidades, las obras literarias de Roc Jane a menudo se centran en la celebración de diversos individuos y sus viajes personales. Explora con sensibilidad el delicado equilibrio entre vulnerabilidad y fuerza, iluminando la resistencia y la gracia del espíritu humano. Roc Jane vislumbra el epítome de una vida bien vivida. Con una sonrisa radiante que refleja su satisfacción, Roc Jane simboliza el poder de la autoaceptación y la alegría descarada. Roc Jane, a través de su prosa cuidadosamente elaborada, teje narrativas que capturan la esencia de la transformación positiva y la aceptación de un lugar feliz en la vida. Mientras Roc Jane continúa encontrando consuelo en lo ordinario, sus lectores están invitados a compartir la belleza que ella descubre y embarcarse en un viaje literario donde lo extraordinario toma forma en los momentos más simples.

En estas cautivadoras memorias, siga a Tommy mientras se embarca en un poderoso viaje de autodescubrimiento, navegando por las intrincadas capas del dolor, la identidad y la aceptación. Cuando ocurre la tragedia, Tommy se encuentra lidiando con una pérdida profunda, lo que desencadena una búsqueda incesante para descubrir la verdad de su propia identidad y reconciliarse con su padre del que está separado.

Al embarcarse en una conmovedora exploración del duelo, Tommy descubre que la curación es un proceso profundamente personal. A lo largo de su viaje, descubre momentos inesperados de perdón y comprensión que cierran la brecha entre el dolor y la esperanza. A medida que desvela las complejidades de su propia identidad como individuo transgénero, la valentía y la resiliencia de Tommy brillan, inspirando a los lectores a abrazar su verdadero yo con autenticidad inquebrantable.

A través de momentos de vulnerabilidad, Tommy teje un sincero tapiz de lecciones aprendidas. Desde el poder de la compasión y la empatía hasta la fuerza que se encuentra al abrazar la individualidad, estas memorias son un testimonio empoderador de la naturaleza transformadora de la autoaceptación.

"Unveiling the Layers" es una historia de triunfo sobre la adversidad, un llamado al cambio social y un recordatorio de que, bajo la superficie, todos poseemos una resiliencia increíble y la capacidad de amarnos y aceptarnos unos a otros incondicionalmente. Profundiza en estas profundas memorias y embárcate en un viaje de autodescubrimiento que te permitirá abrazar tu propia verdad y luchar por la igualdad y la aceptación en el mundo.